JN122228

あおいくんのすきなもの

作:佐藤和音　杉浦陸　西村香帆　古田莉穂

3年1組の あおいくんは、教室で 先生の 話を聞いています

「来週の じゅぎょうで みんなの すきなものを 1つ
はっぴょうしてもらうので、考えてきてください。」
と、先生から 宿題を 出されました。

3

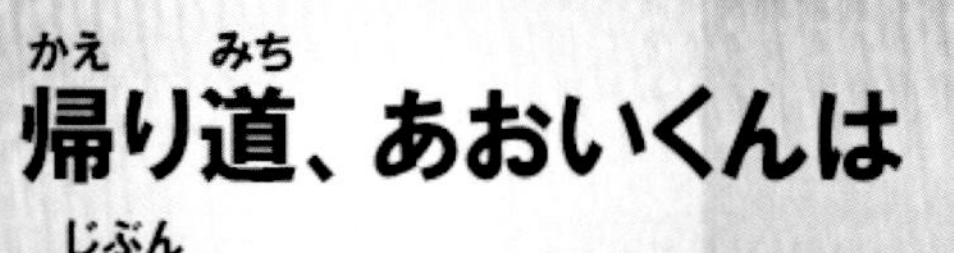

帰り道、あおいくんは
自分の すきなものについて 考えて いました。

「すきなものは たくさん あるけど、
みんなに 話す(はな)の はずかしいなぁ・・・。」

けっきょく、なにを話すか きまらないまま
当日に なって しまいました。
まわりの お友だちは じゅんび万たんで
早く はっぴょうしたそうです。
でも、あおいくんは うかない ひょうじょう。

いよいよ、みんなの はっぴょうが はじまります。

「わたしは ヒーローが すきで、おおきくなったら
ヒーローに なりたい！」

「ぼくは うさぎのぬいぐるみが すき！
いつも いっしょに ねてるんだ。」

そのあとも、クラスの みんなの
こせいゆたかな はっぴょうが
つづいていきます。

カブトムシ、サッカー、読書。
あおいくんの 番が どんどん
近づいてきます。

「どうしよう・・・何を 話したら いいかな。」
あおいくんは 不安です。

「つぎは　そらくんの　番です。おねがいします。」と
先生が　言いました。そらくんは　あおいくんの
1番の　親友です。そらくんは　何を　話すのかな。

「ぼくが すきなものは これと これと、、、！」
COMIC

そらくん〜、はっぴょうするのは
1つって 言ったでしょ？」
先生が そらくんに 言います。
「あ、そうだった。でも ぜんぶすきだし、
1つに きめられなかったんだもん！」

そんな　そらくんを見て、
あおいくんは　ハッと気づきます。

ぼくも そらくんみたいに じしんを持(も)って 言(い)えば いいんだ。」

いよいよ あおいくんの 番です。
「あおいくん、はっぴょうを おねがいします。」

「ぼくも すきなものは たくさんあるけど、、、
1番すきなのは おともだちの そらくんです！」

自しんをもった あおいくんの はっぴょうを聞いて、
クラスメイトも 先生も にっこり。
そらくんも、とっても うれしそう。

はっぴょうを 終え、
せきに もどった あおいくんの顔は まんぞく気。
ちょっぴり自分に 自しんを持てるようになりました。

こうして、今日(きょう)も2人(ふたり)は

すきなものにかこまれながら なかよく あそびました。

絵本の出版にあたり、
山本涼太郎 様
ミネベアミツミ株式会社 法務部 弁護士 小林祐也 様（順不同）
にご支援いただきました。

あおいくんのすきなもの

2023年 9月1日　　初 版 発 行

作　佐藤和音　杉浦陸　西村香帆　古田莉穂

発行所　株式会社 三恵社
〒462-0056　愛知県名古屋市北区中丸町2-24-1　TEL 052-915-5211　FAX　052-915-5019
URL http://www.sankeisha.com

ISBN978-4-86693-803-5 C8793 ¥1750E